KU-640-484

Tombik Ayı ile tanışıp onunla arkadaş olan tüm çocuklara...
Kitaplarımı okuduğunuz için size çok teşekkür ederim!
– K. W.

Boo'ya sevgilerle...
– J. C.

PEARSON

Türkçe yayın hakları © Pearson Eğitim Çözümleri Tic. Ltd. Şti. Türkiye, 2015
Barbaros Bulvarı No: 149 Dr. Orhan Birman İş Merkezi Kat: 3
Gayrettepe 34349 İstanbul-Türkiye Tel: 0212 288 69 41
iletisim@pearson.com.tr
www.pearson.com.tr

Özgün Adı: Bear's New Friend
Simon & Schuster Books
An imprint of Simon & Schuster Children's Publishing Division
1230 Avenue of the Americas, New York, New York 10020

Metin © 2006 Karma Wilson
Resimler © 2006 Jane Chapman
Çeviri: Melike Hendek
Çin'de basılmıştır.

1. Baskı: 2015, 2. Baskı: 2016
ISBN: 978-605-4691-29-6
Sertifika No: 16372

Tombik Ayı'nın Yeni Arkadaşı

Karma Wilson

Resimleyen: Jane Chapman

Çeviri: Melike Hendek

PEARSON

Sıcak bir yaz günü
Tombik Ayı mağarasında
Oturuyordu tek başına
Arkadaşları neredeydi acaba?

Tombik Ayı çıktı dışarıya
Arkadaşı Fare'yi bulmaya
Ağaçların önünden geçerken
Birden…

... hışır hışır bir ses geldi kulağına!

Tombik Ayı

sordu merakla:

“Kim var orada?”

Ağaçtaki kimdi acaba?
Arkadaşı Fare miydi yoksa?
Ama tam o sırada Fare geldi
Anlaşılan ağaca çıkan o değildi...

Tombik Ayı sordu şaşkın bir sesle,
"Sen buradaysan, ağaçtaki kim öyleyse?"
"Tavşandır belki," dedi Minik Fare
Bir anlam verememişti o da bu işe

Dikkatle baktı yukarıya Fare,
Ama görünmüyordu hiç kimse.
Tombik Ayı sordu merakla:
"Kim var orada?"

Tombik Ayı ile Minik Fare
Bakınırken dalların arasına
Tavşan geldi yanlarına

Tavşan, “Merhaba,” dedi onlara,
“Ne yapıyorsunuz burada?”
Fare tam cevap verecekken
Birden…

... hızla bir şey geçti yanlarından!

Tombik Ayı sordu merakla:

“Kim var orada?”

“Haydi gidip bakalım,” dedi Tavşan,
“Anlarız kim olduğunu birazdan.”
“Porsuktur belki,” dedi Fare
“Meraklanıyoruz boş yere.”

Ama yanılmıştı Fare
Porsuk işte az ileride
Sincap ve Köstebek ile
Bakıyordu bir delikten içeriye

“Merhaba,” dedi Tombik Ayı onlara
“Ne yapıyorsunuz burada?”

Porsuk cevap verdi telaşla,
“Biri saklanıyor bu çukurda!”
Tombik Ayı sordu merakla:
“Kim var orada?”

"Hepimiz buradaysak," dedi Tombik Ayı
"O zaman çukurun içine kim saklandı?"
"Buldum!" dedi Porsuk heyecanla,
"Ya Çalıkuşu'dur ya da Karga!"

Ama tam o sırada Çalıkuşu ve Karga
Kanatlarını pırrr pırrr çırpa çırpa
Gelip kondular arkadaşlarının yanına
Anlaşılan yanılmıştı Porsuk da!

Çukurdan bir hışırtı daha duyulunca
Tombik Ayı sordu merakla:

"Kim var orada?"

Tombik Ayı yaklaştı yavaşça
“Haydi çık dışarıya!”
“Neden saklanıyorsun orada?”

Çukurdan titrek bir ses geldi aniden

“Çünkü çok utangacım ben...”

İki parlak göz göründü karanlık çukurda
"Merhaba!" dedi Tombik Ayı dostça

"Tombik Ayı benim adım,
Sana arkadaşlarımı tanıtayım:

İşte bu Tavşan, hemen yanımda
Tam karşımda Çalıkuşu ve Karga
Şurada merakla seni izleyenler ise
Köstebek, Sincap,
Porsuk ve Fare."

“Arkadaş olmak istiyoruz seninle
Haydi sen de bize adını söyle,”
derken Tombik Ayı
Birden...

... minik bir Baykuş çıktı delikten!

"Huu-huu... Huu-huu!"

“Merhaba,” dedi Baykuş çekingen bir sesle
“Çok memnun oldum tanıştığıma sizinle.”
Tombik Ayı neşeyle gülümsedi
Bu yeni arkadaşı çok sevmişti.

“Çok sevindik biz de
Tanıştığımıza seninle
Eğer istersen sen de
Oyunlar oynarız birlikte.”

Hep birlikte çıkardılar sıcak yaz gününün keyfini

Yeni arkadaş edinmek ne güzel şeydi!